¡Ayuda a Lincoln a encontrar el control de la tele! ¡Ve a la página 10 para empezar a buscarlo!

Conoce a la familia Loud

8

LISTA DE LA COMPRA

CALIFICACIONES
Estudiante *Lisa Loud*

nickelodeon — ¿QUIÉN TIENE EL CONTROL?

"NO, CUELGA TÚ"
AMANDA RYNDA —
Guion, Dibujo, Rotulación, Color

"EL SITIO"
DIEM DOAN — Guion, Dibujo, Rotulación
AMANDA RYNDA — Color

"EL APRETÓN DE MANOS"
SAMMIE CROWLEY y
WHITNEY WETTA — Guion
KYLE MARSHALL — Dibujo, Rotulación
AMANDA RYNDA — Color

"FUERA SPOILERS"
SAMMIE CROWLEY y
WHITNEY WETTA — Guion
JORDAN KOCH — Dibujo, Rotulación
ASHLEY KLIMENT — Color

"LA NUEVA ROPA DE LUNA"
JORDAN ROSATO — Guion, Dibujo, Rotulación
AMANDA RYNDA — Color

"LA LLAMADA"
SAMMIE CROWLEY y
WHITNEY WETTA — Guion
MIGUEL PUGA — Dibujo, Rotulación
ASHLEY KLIMENT — Color

"EL AS DE LA CONSOLA"
JARED MORGAN — Guion, Dibujo, Rotulación
HALLIE WILSON — Color

"MUY SUPERSTICIOSA"
TODD OMAN — Guion, Dibujo, Rotulación
ASHLEY KLIMENT — Color

"¡A PESCAR!"
JARED MORGAN — Guion, Dibujo, Rotulación
AMANDA RYNDA — Color

"QUE VIENE EL AVIONCITO"
DAVID KING — Guion, Dibujo, Rotulación, Color

"LOUD Y ORDEN"
KEVIN SULLIVAN — Guion
ARI CASTLETON — Dibujo, Rotulación
AMANDA RYNDA — Color

"CONTRA LA PARED"
JORDAN ROSATO — Guion, Dibujo, Rotulación
AMANDA RYNDA — Color

"DESCARGA"
MIGUEL PUGA — Guion, Dibujo, Rotulación
AMANDA RYNDA — Color

"¿QUIÉN TIENE EL CONTROL?"
SAMMIE CROWLEY, WHITNEY WETTA y
KARLA SAKAS SHROPSHIRE — Guion
JORDAN KOCH — Dibujo, Rotulación
AMANDA RYNDA — Color

CHRIS SAVINO — Dibujo de portada
JAMES SALERNO — Director de arte/Nickelodeon
DAWN GUZZO — Diseño/Producción
SASHA KIMIATEK — Coordinador de producción
JEFF WHITMAN — Editor
JOAN HILTY — Editor de cómics/Nickelodeon
JIM SALICRUP — Redactor jefe

THE LOUD HOUSE

UNA CASA DE LOCOS
CREADO POR CHRIS SAVINO

Wetta, Whitney
¿Quién tiene el control? / Whitney Wetta et al ; ilustrado por Chris Savino et al. - 1a ed. - Ciudad Autónoma de Buenos Aires : Altea, 2019.
64 p. : il. ; 23 x 16 cm.

ISBN 978-987-736-272-5

1. Humor. 2. Caricatura. I. Savino, Chris, ilust. II. Título.
CDD 863.9282

Realización editorial: MYR Servicios Editoriales, S. L.

Penguin Random House Grupo Editorial apoya la protección del copyright. El copyright estimula la creatividad, defiende la diversidad en el ámbito de las ideas y el conocimiento, promueve la libre expresión y favorece una cultura viva. Gracias por comprar una edición autorizada de este libro y por respetar las leyes del copyright al no reproducir, escanear ni distribuir ninguna parte de esta obra por ningún medio sin permiso. Al hacerlo está respaldando a los autores y permitiendo que PRHGE continúe publicando libros para todos los lectores.

Printed in Argentina – Impreso en la Argentina

ISBN: 978-987-736-272-5

Queda hecho el depósito que previene la ley 11.723.

Esta edición de 7000 ejemplares se terminó de imprimir en Gráfica Pinter S.A., Diógenes Taborda 48, Ciudad Autónoma de Buenos Aires, en el mes de junio de 2019.

Penguin
Random House
Grupo Editorial

CONOCE A LA FAMILIA LOUD

LINCOLN LOUD
EL MEDIANO (11)

Lincoln tiene once años y diez hermanas, cinco mayores y cinco menores. Con el tiempo ha aprendido que para sobrevivir en la casa de los Loud hay que ir un paso por delante. Siempre tiene un plan para salirse con la suya, a pesar de que las cosas acaben saliéndole mal. Ser el único niño de la familia tiene sus ventajas: Lincoln tiene su propio cuarto, aunque se trate de un armario reconvertido en habitación. Pero también tiene sus inconvenientes, porque sus hermanas no paran de gastarle bromas y usarlo como ratón de laboratorio o participante en un pase de modelos. Puede que sus hermanas le vuelvan loco, pero Lincoln las quiere un montón.

LENI LOUD
LA FASHIONISTA (16)

Leni es la más distraída de las hermanas. Pasa el tiempo diseñando ropa. Se distrae con los objetos brillantes, siempre pica con las bromas de Luan y a veces se da de bruces contra la pared si está hablando al andar. Puede que sea muy coqueta, pero tiene un corazón de oro (aunque ella juraría que está hecho de sangre).

LORI LOUD
LA MAYOR (17)

Es la primogénita, por lo que se considera la jefa y reclama respeto a sus hermanas. Es normal verla poniendo los ojos en blanco ante cualquier situación y escribiendo mensajes a su novio Bobby. Al ser la mayor, Lori puede ser una gran aliada, así que merece la pena estar de su lado.

LUNA LOUD
LA ROQUERA (15)

Luna es una chica un poco alocada que hace la suya. Su nivel de energía está siempre subido hasta el once. Está tan obsesionada con la música que habla con letras de canciones. Está dispuesta a ayudar en todo momento y hará cualquier cosa que le pidan, siempre que sea con acompañamiento de guitarra.

LUAN LOUD
LA BROMISTA (14)

Luan es una humorista capaz de crear los juegos de palabras más absurdos. Es una experta en artículos de broma, como flores que echan agua o cojines "tirapedos". ¡Y practica sus dotes de ventrílocua con su muñeco, el Sr. Cocos! Luan nunca se desanima. Para ella, la risa es la mejor medicina.

LYNN LOUD
LA ATLETA (13)

Lynn es una deportista nata. El deporte lo es todo para ella y cualquier cosa puede convertirse en una competencia. ¿Guardar los huevos en la nevera? ¡Canasta! ¿Limpiar el suelo de huevos? ¡Gol! Lynn es muy competitiva, supersticiosa cuando juegan sus equipos favoritos y nunca rechaza un desafío.

LUCY LOUD
LA EMO (8)

Lucy le encuentra un punto macabro a cualquier situación. Está obsesionada con todo lo tenebroso, siempre va de negro y escribe poemas deprimentes. Es callada y tiene el talento de aparecer de repente en el lugar más inesperado, algo a lo que no se han acostumbrado sus hermanas.

LANA LOUD
LA REVOLTOSA (6)

Lana es la versión traviesa de su hermana gemela, Lola. Le encantan los reptiles, los pasteles de barro y los tubos de escape. Es la reparadora oficial de la familia. ¿Necesitas arreglar el inodoro? ¿Dar de comer a tu serpiente? ¡Lo hará! Lo único que pedirá a cambio es un chicle ya masticado o galletitas para perros.

LOLA LOUD
LA MISS (6)

Lola es el polo opuesto de su gemela, Lana. Ella ama los concursos de belleza y sus intereses incluyen el glamur, las sesiones de fotos y su hermosísima cara. Pero bajo toda esa dulzura se esconde una mente maquiavélica. Está al tanto de todo lo que ocurre en su casa y nunca desaprovecha la oportunidad de delatar a los alborotadores. Si estás en el bando de Lola, tienes una firme aliada (y sesiones de maquillaje gratis).

LISA LOUD
LA GENIO (4)

Lisa es más inteligente que todas sus hermanas juntas. Lo más probable es que acabe siendo ingeniera aeronáutica, neurocirujana o una mente criminal brillante. Pasa casi todo el día en su laboratorio y, según ella, no tiene tiempo para actividades frívolas como "jugar" o "cortarse el pelo". A pesar de ello, siempre está dispuesta a ayudar a sus hermanas. Según Lisa, es lo menos que puede hacer por sus conejillos de Indias, digo… hermanas.

LILY LOUD
LA BEBÉ (15 MESES)

Lily es un espíritu libre, risueño y babeante al que su familia llama afectuosamente "la fábrica de caca". Siempre consigue zafarse de los pañales, como si fuera un Houdini con dientes de leche. Ya esté correteando como loca, lanzando pañales fétidos o llenando todo de babas, Lily siempre hace reír a todo el mundo (aunque sea con la nariz tapada). Es la hija favorita de la familia.

"¿Quién tiene el control?"

¡LORI!

LORI, ¿DÓNDE ESTÁ EL CONTROL REMOTO?

¡EMPIEZA MI PROGRAMA FAVORITO!

LO SIENTO, LINCOLN, PERO AHORA ESTOY OCUPADA.

HAS SIDO TÚ LA ÚLTIMA EN USARLO, PORQUE LA TELE SE HA QUEDADO ATASCADA EN TU SERIE FAVORITA.

YO NO ESTABA VIENDO ESO. SON CAPÍTULOS REPETIDOS.

LINCOLN, ¿TÚ QUÉ CREES QUE QUERRÁ DECIR BOBBY CON YHL-TQ-XO?

NI IDEA. A LO MEJOR SE HA SENTADO ENCIMA DEL MÓVIL.

LOL... ME ACABA DE LLAMAR "WAPA".

¡QUÉ LISTO ES!

⸗EJEM⸗ ¿LORI?

¿QUÉ?

¡EL CONTROL!

TAMBIÉN ES LA SERIE FAVORITA DE LOLA Y LENI.

A LO MEJOR LO TIENEN ELLAS.

PUES TENDRÉ QUE HABLAR CON...

LENI O LOLA...

PARA HABLAR CON LENI, VE A LA PÁGINA 56. PARA HABLAR CON LOLA, VE A LA PÁGINA 24.

"NO, CUELGA TÚ"

"EL APRETÓN DE MANOS"

DING-DONG

¿LISTO PARA PASAR UN DÍA ALUCINANTE, CLYDE?

¡PUES CLARO, LINCOLN!

¿QUIERES QUEDARTE EN CASA? ¿O SALIR? TENGO 23 PLANES PARA CADA OPCIÓN.

TENEMOS QUE HACER NUESTRO APRETÓN DE MANOS SECRETO "CLINCOLN-MCLOUD"...

¿EN QUÉ ESTABA PENSANDO? ¡PUES CLARO!

TRES...
DOS...

PTUU

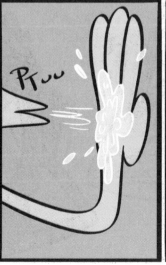

PTUU

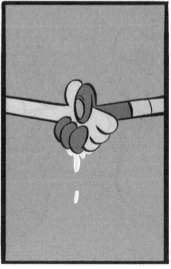

UPS, ¿YA ES LA HORA DE CENAR? ¡HEMOS BATIDO NUESTRO RÉCORD!

¡HA SIDO NUESTRO APRETÓN MÁS RÁPIDO! BUENO, HASTA LUEGO, AMIGO.

CLYDE, ESPERA. ¿NO TENDRÍAMOS QUE HACER NUESTRO APRETÓN DE MANOS SECRETO "CLINCOLN-MCLOUD" DE DESPEDIDA?

¿EN QUÉ ESTABA PENSADO? ¡PUES CLARO!

¿FIN?

"LA NUEVA ROPA DE LUNA"

FIN

"EL AS DE LA CONSOLA"

DESPUÉS DE UN LARGO DÍA EN EL COLE, NO HAY NADA COMO LLEGAR A CASA...

PONER TU VIDEOJUEGO FAVORITO...

CLICK

¡Y DARLE UNA PALIZA A ALGÚN NOVATO EN INTERNET!

MEGA DUELOS MARINOS VII

19

LO SIENTO, LENI. NO PUEDO AYUDARME NI A MÍ MISMO.

AH, BUENO. YA LE HE PEDIDO AYUDA A TODO EL MUNDO, PERO PODRÍA INTENTARLO CON CLIFF Y CHARLES.

ÉAY... BUENO.Ё

¿PARA QUÉ NECESITAS AYUDA, LENI?

TENGO UN MÓVIL NUEVO, ¡PERO NO SÉ CÓMO USARLO!

FÁCIL. DÉJAMELO.

¡BIEN!

¡NO PARO DE APRETAR BOTONES, PERO NO SE ENCIENDE!

FOOOM

¿REVANCHA?

"¿Quién tiene el control?"

¡LOLA!

LOLA, ¿SABES DÓNDE ESTÁ EL CONTROL REMOTO?

PUEDE QUE SÍ... PUEDE QUE NO... DEPENDE DE LO QUE ME OFREZCAS.

BIEN. ¿QUÉ ES LO QUE QUIERES?

¡ES LA HORA DE MAQUILLAR!

¡¿Y...?! ¡¿DÓNDE ESTÁ EL CONTROL?!

AH. PUES, EH... LA VERDAD ES QUE NO LO SÉ.

OÍ A LUCY Y LYNN DISCUTIR SOBRE QUÉ VER CUANDO SE ACABÓ "VACACIONES EN EL BARCO".

TENDRÉ QUE PREGUNTARLE A UNA DE ELLAS...

PARA HABLAR CON LUCY, VE A LA PÁGINA 28. PARA HABLAR CON LYNN, VE A LA PÁGINA 32.

24

"¿Quién tiene el control?"

¡LUNA!

RASGAR

¿LUNA?

¿LUNA?

SPRONG

¡LUNA!

NO HACE FALTA QUE GRITES...

¿HAS VISTO EL CONTROL REMOTO?

LA ÚLTIMA VEZ QUE LO VI ESTABA VIENDO UN DOCUMENTAL DE MICK SWAGGER.

¡¿PERO QUÉ...?!

PRUEBA CON LILY O CHARLES. EL CONTROL REMOTO ES SU JUGUETE FAVORITO.

PARA HABLAR CON LILY, VE A LA PÁGINA 37. PARA HABLAR CON CHARLES, VE A LA PÁGINA 35.

"¡A PESCAR!"

¡LUCY!

¿LUCY?

ESTÁS BUSCANDO EL CONTROL REMOTO.

¡UAAH! ¡¿CÓMO LO SABÍAS?!

MI BOLA DE CRISTAL LO SABE TODO.

ADEMÁS, EN ESTA FAMILIA SIEMPRE HAY ALGUIEN BUSCANDO EL CONTROL REMOTO.

BUENO, ¿PUEDES PREGUNTARLE A LA BOLA DÓNDE ESTÁ?

PUEDE QUE ESTÉ ENTERRADO.

O LE HAYAN QUITADO LAS PILAS.

¡¿QUÉ CLASE DE MONSTRUO HARÍA ESO?!

YO PREGUNTARÍA A LILY O LUAN.

PARA HABLAR CON LILY, VE A LA PÁGINA 37. PARA HABLAR CON LUAN, VE A LA PÁGINA 38.

"LOUD Y ORDEN"

"¿QUIÉN TIENE EL CONTROL?"

¡LYNN!

OYE, LYNN...

¡ESOS REFLEJOS!

EH, LINCOLN... ¿QUIERES LANZAR LA PELOTA?

VENÍA A BUSCAR EL CONTROL REMOTO. ¿LO TIENES TÚ?

NO, HAN CANCELADO EL PARTIDO QUE QUERÍA VER... PASO DE LA TELE.

AH, BUENO.

¡ESPERA!

¡ACABO DE ACORDARME!

LISA ESTABA DICIENDO NO SÉ QUÉ DE ANALIZAR LOS GÉRMENES DEL CONTROL REMOTO.

¡GENIAL, GRACIAS!

¡ESPERA!

MERMELADA

PUEDE QUE LUAN LO LLEVARA PARA UNA DE SUS BROMITAS...

YO PROBARÍA CON LISA O LUAN.

PARA HABLAR CON LISA, VE A LA PÁGINA 43. PARA HABLAR CON LUAN, VE A LA PÁGINA 38.

"DESCARGA"

"¿Quién tiene el control?"

¡CHARLES!

CHARLES, ¿HAS VISTO EL CONTROL REMOTO?

GRRR

NO QUERÍA ECHARTE LA CULPA... ¡PERO ES QUE NECESITO ENCONTRARLO!

GRRRRRR

OYE, ¿QUÉ ESTÁS MORDIENDO?

GUAU GUAU GUAU

¿CÓMO QUE "NADA"?

¡EL CONTROL!

¡CHARLES! ¡PERRO MALO!

¡OH, NO! HAS LLEGADO A UN CALLEJÓN SIN SALIDA. VUELVE A HABLAR CON LORI EN LA PÁGINA 10.

"EL SITIO"

"¿quién tiene el control?"

¡LILY!

¡BASTA DE JUEGOS, LILY! ¡SÉ QUE TIENES EL CONTROL REMOTO!

BA LA BA LA BA BA LA LA LA BA BA LA BA BA LA LA BA BA LA LA

PERDONA, TIENES RAZÓN. NO TENGO NINGUNA PRUEBA.

BA LA GA BA LA BLABLA GAGA LA BA LA GA LA.

ESPERA... ¿PARA QUÉ QUERÍA CLIFF EL CONTROL?

GA BA BLABLA LA GA BLEBLE BLABLA GA BA.

YA ENTIENDO.

BLABLA LA GA BA BLEBLE AGA LA GA BA GA.

¿O LANA?

BA BABBLE GA LABBLE LA GA LA BA LA BA BA LA GA

TIENE SENTIDO. TENDRÉ QUE HABLAR CON CLIFF O LANA.

PARA HABLAR CON CLIFF, VE A LA PÁGINA 50. PARA HABLAR CON LANA, VE A LA PÁGINA 59.

37

"¿QUIÉN TIENE EL CONTROL?"

¡LUAN!

OYE, LUAN. ¿TIENES TÚ EL CONTROL REMOTO?

¡LO SIENTO, NO TENGO LA MÁS REMOTA IDEA!

¡JA, JA, JA, JA!

¿LO ENTIENDES?

¿LE HAS PREGUNTADO A LANA?

LA VI BUSCANDO PILAS, DÁNDOSE UN VOLTIO.

JA, JA, JA, ¿LO ENTIENDES?

DEMASIADO REBUSCADO.

A LO MEJOR DEBERÍAS PRO-BAR CON GEO.

CORRE POR ENCIMA DEL CONTROL PARA VER CÓMO SE ENCIENDEN LOS BOTONES.

PROBABLEMENTE LE RECUERDE A HAMSTER-DAM.

¿LO ENTIENDES?

SÍ, POR DESGRACIA.

BUENO, PUES TENDRÉ QUE IR A HABLAR CON LANA O GEO.

PARA HABLAR CON LANA, VE A LA PÁGINA 59. PARA HABLAR CON GEO, VE A LA PÁGINA 53.

"FUERA SPOILERS"

¡LISA!

MÁS TE VALE QUE SEA ALGO IMPORTANTE, LINCOLN.

¡ES UN GRAN DESCUBRIMIENTO!

PERDONA, PERO NECESITO ENCONTRAR EL CONTROL REMOTO.

TENDRÁS QUE SER UN POCO MÁS ESPECÍFICO.

¿QUÉ ES LO QUE ACTIVA ESE "CONTROL REMOTO"? ¿UN COCHE? ¿UN SONAR?

¡VAMOS YA, LISA! ¡EL CONTROL DE LA TELE!

AH, ESO.

¿LO HAS VISTO O NO?

ME DISCULPARÍA, PERO HA SIDO EN NOMBRE DE LA CIENCIA.

¡OH, NO! HAS LLEGADO A UN CALLEJÓN SIN SALIDA. VUELVE A HABLAR CON LORI EN LA PÁGINA 10.

"LA LLAMADA"

BING

RONNIE ANNE

TENGO UNA PREGUNTA MUY IMPORTANTE. ¿PUEDES LLAMARME?

OOOH. ¿QUÉ SERÁ LO QUE...?

UY, NO NOS HAGAS CASO. LLAMA A RONNIE ANNE SI QUIERES.

¿PERO CÓMO SABÍAN QUE...?

¿HA LLAMADO YA?

¡MUÉVETE!

¡NO OIGO NADA!

¡¿QUÉ HA DICHO?!

¿AAAAH? ¿NO SE PUEDE TENER INTIMIDAD EN ESTA CASA?

PUEDE QUE EN ESTA CASA NO, PERO A LO MEJOR MUY LEJOS DE ELLA SÍ.

¡CLIFF!

CLIFF, TENGO QUE HACERTE UNA PREGUNTA.

SCRATCH SCRATCH

PURRR

¿SABES DÓNDE ESTÁ EL CONTROL REMOTO DE LA TELE?

TENGO QUE SEGUIR RASCÁNDOTE PARA QUE HABLES, ¿NO?

SCRATCH SCRATCH

PURRR

PURRR

¡¿ESTÁ AHÍ DENTRO?!

CLIFF

NADA, YA ES UNA CAUSA PERDIDA.

MIAU.

¡OH, NO! HAS LLEGADO A UN CALLEJÓN SIN SALIDA. VUELVE A HABLAR CON LORI EN LA PÁGINA 10.

"MUY SUPERSTICIOSA"

PARECE QUE EL EQUIPO LOCAL NO TIENE POSIBILIDADES. LA SUERTE NO HA ESTADO DE SU LADO HOY.

¿SUERTE? ¡CLARO! HARÉ MI BAILE DE LA SUERTE!

ASÍ ES COMO CONSEGUÍ GANAR LA FINAL ESTATAL.

A LO MEJOR LE DAN LA VUELTA AL RESULTADO SI HAGO EL PINO.

CARAMBA, NO SÉ CUÁNTO AGUANTARÉ CON ESTA POSTURA.

LOS JUGADORES NO LEVANTAN CABEZA.

¡UN MOMENTO, PARECE QUE LA COSA ESTÁ CAMBIANDO!

MI CARRERA DE LA SUERTE SIEMPRE FUNCIONA.

¡SÍ! LO ESTÁN LOGRANDO... A VER... NO, PARECE QUE NO. ¡UN MOMENTO! ¿HA CAMBIADO SU SUERTE? NO, NO HA CAMBIADO.

ERA DEMASIADO BUENO PARA SER CIERTO. VUELVE A MARCAR EL EQUIPO VISITANTE.

¡OH, NO!

¡NUNCA HABÍA VISTO UN EQUIPO CON TAN MALA SUERTE!

¿QUÉ TAL EL PARTIDO, LYNN?

HORRIBLE. HAGA LO QUE HAGA, MI EQUIPO SIGUE PERDIENDO.

¿DE VERDAD CREES QUE PUEDES CAMBIAR EL RESULTADO CON TUS SUPERSTICIONES?

RASCA RASCA

¡GOL!

RASCA RASCA

SCRATCH SCRATCH

¿Y CUÁNTO TIEMPO TENGO QUE ESTAR RASCÁNDOME EL TRASERO?

SOLO UN PAR DE MESES MÁS, HASTA QUE ACABEN LAS ELIMINATORIAS.

SCRATCH SCRATCH

FIN

¡OH, NO! HAS LLEGADO A UN CALLEJÓN SIN SALIDA. VUELVE A HABLAR CON LORI EN LA PÁGINA 10.

53

"QUE VIENE EL AVIONCITO"

ABRE LA BOCA, LILY.

AQUÍ VIENE...

... ¡EL AVIONCITO!

"¿QUIÉN TIENE EL CONTROL?"

¡LENI!

¿SABES DÓNDE ESTÁ EL CONTROL REMOTO?

¿QUÉ ESTÁS HACIENDO?

MAMÁ ME DIJO QUE LIMPIARA EL POLVO.

¿DÓNDE ESTÁ EL CONTROL?

ESTÁ PUESTO TU PROGRAMA FAVORITO...

YA, PERO SUBÍ PARA IR AL BAÑO. ME ENCONTRÉ CON MAMÁ Y ME DIJO QUE LIMPIARA, LUEGO APARECISTE TÚ...

PLAF

VI A LUCY Y A LUNA ENTRAR AL SALÓN CUANDO YO ME IBA.

¡A LO MEJOR ELLAS SABEN QUIÉN TIENE EL CONTROL!

¡ESPERA! ¿CREES QUE HA SIDO UN LADRÓN?

NO, LENI, SEGURO QUE NO HA SIDO...

¡TENGO QUE ESCONDER MI ROPA!

BUENO, TENDRÉ QUE IR A HABLAR CON LUCY O LUNA.

PARA HABLAR CON LUCY, VE A LA PÁGINA 28. PARA HABLAR CON LUNA, VE A LA PÁGINA 25.

FIN

"¿Quién tiene el control?"

¡LANA!

SCRATCH SCRATCH

¿SABES DÓNDE ESTÁ EL CONTROL REMOTO DE LA TELE?

ITCH ITCH ITCH

EEH... ¡NO!

¡SÉ QUE ME ESTÁS MINTIENDO!

POW

SOK

POKE

¡LO SIENTO, LINCOLN, ¡LO NECESITO PARA RASCARME LA ESPALDA!

¡PERO, LANA, "ARGGH!" ¡EMPIEZA DENTRO DE NADA!

ME CAÍ EN UNA HIEDRA VENENOSA Y ME PICA...

SCRATCH SCRATCH

MMMM, ¡TENGO UNA IDEA!

SCRATCH SCRATCH

ARGGH!

AAAH. AHORA SÍ QUE SÍ.

¡Y QUE LO DIGAS! ¡ESO, JUSTO AHÍ!

¡FELICIDADES! ¡HAS ENCONTRADO EL CONTROL REMOTO!